VOA COM AS PALAVRAS! ②

Autor

Departamento da Educação Básica
Núcleo de Ensino Português no Estrangeiro

Concepção

Maria de Lourdes Nobre
Maria de Lourdes Varanda
Matilde Teixeira

Colaboração

Ana Cirne

Concepção Gráfica

Nuno Gaspar

Coordenação

NEPE

LIDEL

Lidel, Edições Técnicas
Lisboa — Porto — Coimbra
http://www.lidel.pt (Lidel on-line)
E-mail: lidel.fca@mail.telepac.pt

Componentes do Método

VOA, PAPAGAIO VOA! (NÍVEL 1)

 LIVRO DO ALUNO

 LIVRO DO PROFESSOR

 CASSETE AUDIO

VOA COM AS PALAVRAS! (NÍVEL 2)

 LIVRO DO ALUNO 1
LIVRO DO ALUNO 2

 CADERNO DE EXERCÍCIOS 1
CADERNO DE EXERCÍCIOS 2 (Em preparação)

 LIVRO DO PROFESSOR

EDIÇÃO E DISTRIBUIÇÃO:

LIDEL Edições Técnicas, Lda.

LIVRARIAS: LISBOA: Avenida Praia da Vitória, 14 — Telef. 01-354 14 18 — Fax 01-357 78 27
PORTO: Rua Damião de Góis, 452 — Telef. 02-509 79 95 — Fax 02-550 11 19
COIMBRA: Av. Emídio Navarro, 11 - 2.º — Telef. 039-82 24 86 — Fax 039-82 72 21

CAPA:
Nuno Gaspar

ILUSTRADORES:
Manuela Lourenço

Nuno Gaspar — Calendário e separadores

Cecília Guimarães — Pictogramas

Impressão e acabamento: Tipografia Peres, SA.

Deposito Legal nº 131712/99

ISBN 972-757-089-5

LIDEL — Edições Técnicas, Lda.
Rua D. Estefânia, 183, r/c - dto. — 1049-057 Lisboa
Telefs. 353 44 37 - 357 59 95 - 355 48 98 — Telefax 357 78 27 - 352 26 84

Nota Prévia

Voa com as Palavras (Nível 2) pretende conduzir à consolidação da oralidade iniciada no Nível 1 e à aprendizagem da competência escrita, proporcionando a adequada utilização da língua, em contextos o mais autênticos possível.

O *Nível 2* destina-se a crianças que frequentam o 1.º Ciclo do Ensino Básico e que dominam as aprendizagens inerentes ao nível anterior. Crianças entre os 7 e os 9 anos que, em contexto estrangeiro, aprendem a comunicar em Língua Portuguesa.

Este conjunto de materiais foi desenvolvido em dez unidades temáticas, organizadas em dois Livros do Aluno e dois Cadernos de Exercícios, cada um com cinco áreas temáticas.

O *2.º Livro do Aluno* aborda as temáticas da escola, da habitação, da alimentação, das viagens e transportes e dos tempos livres, à semelhança do nível 1 e na continuação do 1.º Livro do Aluno.

De Portugal

Vais aprender a escrever
em Português e vais falar
ainda melhor do que antes.

Bom trabalho!

Para: _____

Aluno _____

_____

_____

ESCOLA

A caminho da escola

A caminho da escola, o Pedro e a Mónica encontram a Lili.

Eu	**vou**		casa.
Tu	**vais**		
Ele			
Ela	**vai**		
(Você)		para	a escola.
Nós	**vamos**		
Vós	**ides**		
Eles			
Elas	**vão**		
(Vocês)			o jardim.

Como é a tua escola, Pedro?

A minha escola é muito bonita e moderna. Tem um grande *pátio de recreio*.
A minha irmã ensinou-me onde são as *salas de aula*. Disse-me onde ficam a *cantina*, a *biblioteca* e as *casas de banho*. Já sei onde são os *gabinetes do médico e do director*.

A minha sala de aula é grande e clara.
Ao lado da *secretária* está o *quadro*. E há um *armário* com material escolar.
Há *mesas* e *cadeiras* para os alunos e uma *estante* com livros.

A sala de aula do Pedro

Em casa, depois das aulas...

Sentado à secretária, o Pedro
faz um desenho.

Depois, arruma os cadernos
e os lápis-de-cor na pasta.

A seguir, arruma o
livro na estante.

Pronto, está tudo arrumado!

Agora, o Pedro
vai brincar.

Na biblioteca da escola...

A Mónica vai inscrever o irmão na biblioteca da escola.

Mónica — Bom dia.

Professor — Bom dia, Mónica. Que vens fazer?

Mónica — Venho inscrever o meu irmão.

Professor — Como se chama ele?

Mónica — Chama-se Pedro Dias Figueiredo.

Professor — Quantos anos tem?

Mónica — Tem seis.

Professor — Onde mora?

Mónica — Mora na Rua Luís de Camões, n.º 20.

Professor — Qual é o número de telefone?

Mónica — É o 397 00 51.

Professor — Pronto, está tudo.

Mónica — Obrigada. Boa tarde.

Professor — Adeus, Mónica.

Eu	*venho*	
Tu	*vens*	
Ele		
Ela	*vem*	
(Você)		
Nós	*vimos*	da biblioteca.
Vós	*vindes*	
Eles		
Elas	*vêm*	
(Vocês)		

O atraso do Pedro

A festa de S. Martinho

À entrada da escola, um grande cartaz convida os alunos para a festa de S.Martinho...
Hoje, todos trazem castanhas e sumos.

A Rita, a Mónica e a Lili falam da festa...

O Pedro, o Rui e a Joana vão dar castanhas à professora...

Há grande alegria no recreio...
As castanhas já estão assadas.

Todos fazem uma roda e cantam à volta da fogueira...

DLIM... DLIM... DLÃO, minha castanhinha

Dlim, dlim, dlão
minha castanhinha
Tão boa que és
assim assadinha...

Dlim, dlim, dlão
que belo magusto!
Vem daí também,
vais ficar farrusco!

Para essa roda
não quero eu entrar...
Porque nessa roda
vão-me enfarruscar!

Somos irmãos só de nome,
não querem adivinhar?
Temos picos afiados,
para quem nos apanhar...
Quem somos?

Na hora do recreio

A Joana ensina o Pedro a jogar à macaca... na hora do recreio.

Joana —Ó Pedro, queres jogar à macaca?
Pedro —Não sei jogar...
Joana —Sabes andar de pé-coxinho?
Pedro —Sei.
Joana —Então, é fácil.
            Queres ver ?

A Joana empurra a malha com o pé.

Eu	**sei**		macaca.
Tu	**sabes**		
Ele			bola.
Ela	**sabe**	(a+a =) à	
(Você)			cabra-cega.
Nós	**sabemos**	**jogar**	pião.
Vós	**sabeis**		
Eles		(a+o =) ao	lenço.
Elas	**sabem**		
(Vocês)			berlinde.

Tantos jogos que há para brincar!

jogar à bola

jogar à cabra-cega

jogar ao lenço

jogar ao berlinde

jogar ao pião

saltar à corda

Eu tenho um pião
Um pião que gira
Eu tenho um pião
Mas não to dou não.

Gira que gira
O meu pião
Mas não to dou
Nem por um tostão.

Eu tenho um pião
Um pião que dança
Eu tenho um pião
Mas não to dou não.

HABITAÇÃO

A caminho de casa

À saída da escola, a Mónica espera pelo irmão e pelos amigos.
Chegam o Pedro e o Rui...

À saída da escola...

Mónica —Despacha-te, Pedro.

Pedro —Vens, Rui?

Rui —Hoje não vou contigo. Estou à espera da Joana.

Pedro —Olha, aí vem ela.

Chega a Joana.

Joana —Vamos embora, Rui?

Pedro —Para onde é que vocês vão?

Joana —O Rui vai a minha casa.

Pedro —E onde é que fica a tua casa?

Joana —Fica naquele prédio alto do Centro Comercial do Bairro Novo.

A casa da Joana é num prédio de 10 andares.

Mónica — Que giro morar num prédio com tantos andares!

Pedro — Em que andar moras?

Joana — Moro no sétimo.

Rui — Gostas de subir e descer no elevador?

Joana — Adoro! E da minha janela, gosto de brincar a fazer bolinhas de sabão.
Elas sobem, sobem pelo ar e eu fico a pensar: Para onde irão? Para onde irão?

Rui — Eu gosto mais de morar no rés-do-chão, numa vivenda.

Pedro — Eu moro num prédio de três andares.
É um prédio baixo muito agradável.
Só tem seis apartamentos.

Eu	**moro**	perto do Rui.
Tu	**moras**	
Ele		numa vivenda.
Ela	**mora**	
(Você)		num rés-do-chão.
Nós	**moramos**	num terceiro andar.
Vós	**morais**	
Eles		no bairro do Pedro.
Elas	**moram**	
(Vocês)		na rua da Mónica.

Um, *dois*, *três*

Vou a casa da Inês.

Quatro, *cinco*, *seis*

Fica na Rua dos Reis.

Sete, *oito*, *nove*

Vou entrar que já chove...

Em casa...

O Pedro e a Mónica brincam na sala.
A Mónica escondeu um lenço e o Pedro vai procurá-lo.

Mónica — Onde está o lenço, Pedro?

Pedro — Está em cima da mesa?

Mónica — Não. Frio, frio!

Pedro — Está perto do candeeiro?

Mónica — Morno, morno...

Pedro — Está dentro do vaso?

Mónica — Não. Gelado, gelado!

Pedro — Está atrás do sofá?

Mónica — Quente, quente!

Pedro — Debaixo do sofá?

Mónica — Escalda, escalda!!

Pedro — Eh! Ganhei!

Vamos ajudar o Pedro a arrumar o quarto... O Pedro tem o quarto desarrumado!
Ele vai arrumar os brinquedos e os jogos no baú, e o material da escola na secretária.

Posso, mãe?

O Pedro pede à mãe para ir brincar para casa do Rui.

O Pedro fica muito contente...

... e dá um beijinho à mãe.

Eu	**posso**		a casa do Rui.
Tu	**podes**		
Ele			ao jardim.
Ela	**pode**		
(Você)		ir	brincar com a Joana.
Nós	**podemos**		arrumar os brinquedos.
Vós	**podeis**		
Eles			a casa da Mónica.
Elas	**podem**		
(Vocês)			ao Bairro Novo.

Uma tarde em casa do Rui

1. O Pedro vai passar a tarde de sábado a casa do Rui.

    — Trrim!

2. O Rui está à varanda...

3. ... desce as escadas...

4. ... e vai abrir o portão.

    Rui — Olá. Pedro!

5. Pedro — Olá. A Joana já chegou?

    Rui — Ainda não.

6. Rui — Vamos esperar por ela aqui no jardim?

    Pedro — Vamos.

7. O Pedro senta-se no muro.

    Pedro — A tua casa é muito gira...

    Rui — Pois é...

8. Pedro — E o jardim é grande!

    Rui — Vamos jogar?

9. E o Rui e o Pedro vão jogar ao berlinde no Jardim...

Férias no Algarve

Mónica — Ó Rita, queres ir comigo passar as férias ao Algarve?

Pedro — ... A casa da avó Rosa e do avô Nicolau?

Rita — Se quero! Vou pedir à minha mãe.

Pedro — O Zé também pode ir...

Rita — E a tua avó não se importa?

Mónica — Não! A avó tem uma casa muito grande.

Pedro — E fica em frente ao mar!

Mónica — Podemos brincar lá fora todo o dia.

Pedro — Por cima da casa há um grande terraço.

Rita — Vai ser tão bom! Que ricas férias...

Querido Diário

As férias em casa dos avós da Mónica em Faro estão

a correr muito bem.

Sabes porquê?

Brincamos lá fora todo o dia e os avós são muito

simpáticos. Gosto muito deles.

A casa é muito grande e toda branquinha.

Não tem telhado. Nunca vi nenhuma assim em Lisboa.

Do terraço vemos o farol e os barcos. É lindo!

| *Estar* | em casa.
na sala.
no quarto. | *Ir* | *para casa.*
à casa de banho.
ao quarto. |

O Pantufa não quer tomar banho

Zé — Rita, queres ajudar-me a dar banho ao Pantufa?

Rita — Quero.

Zé — Ele está na sala.

Rita — Anda Pantufa... vamos à casa de banho!

Zé — Está tão porquinho...

Eu	**quero**		passar férias contigo.
Tu	**queres**		passear no jardim.
Ele			
Ela	**quer**		tomar uma banhoca.
(Você)		ir	dar uma corrida.
Nós	**queremos**		brincar no jardim.
Vós	**quereis**		
Eles			jogar à bola.
Elas	**querem**		
(Vocês)			dar banho ao Pantufa.

ALIMENTAÇÃO

O lanche dos amigos

Os amigos do Pedro estão todos na festa: o Zé, a Rita, a Joana, o Rui, a Lili, a Mónica.
Que lanche delicioso! Tanta coisa boa! Tantos bolos e bolinhos, sumos... rebuçados... bombons.

A festa foi muito divertida.

Eu não quero, **obrigada**. Eu não quero, **obrigado**.

Eu quero, **por favor**. Eu também quero, **se faz favor**.

Eu	*prefiro*		morango.
Tu	*preferes*		ananás.
Ele			pêssego.
Ela	*prefere*		maçã.
(Você)		sumo de	laranja.
Nós	*preferimos*		pêra.
Vós	*preferis*		banana.
Eles			uva.
Elas	*preferem*		
(Vocês)			

São horas de tomar o pequeno-almoço

No corredor...

Mãe — Meninos, são horas do pequeno-almoço.

A Mónica bate à porta do quarto do Pedro.

Mónica — Pedro, vamos tomar o pequeno-almoço.
Pedro — Já vou.

Na cozinha...

Pedro — Ó mãe, não tenho fome.
Mãe — Então, bebe só o leite.
Pedro — Sim. Sem açúcar, por favor.
Mãe — Mónica, comes pão com queijo ou com manteiga?
Mónica — Hoje como pão com manteiga.
Mãe — Pedro, não bebes o leite?
Pedro — Está muito quente.

Eu	**como**		queijo.
Tu	**comes**		manteiga.
Ele			fiambre.
Ela	**come**		doce.
(Você)		pão com	presunto.
Nós	**comemos**		salame.
Vós	**comeis**		mortadela.
Eles			rosbife.
Elas	**comem**		
(Vocês)			

Eu	**bebo**	água.
Tu	**bebes**	leite com chocolate.
Ele		café com leite.
Ela	**bebe**	leite sem açúcar.
(Você)		café.
Nós	**bebemos**	sumo de laranja.
Vós	**bebeis**	chá com leite.
Eles		chá com limão.
Elas	**bebem**	
(Vocês)		

As refeições

O Pequeno-Almoço

Ao pequeno-almoço, a Catarina come flocos.
A Lili bebe leite e come pão com doce de morango.

O Almoço

A Ana Maria almoça na cantina do hospital. Ela é enfermeira.
Hoje, o almoço é sopa, filetes de pescada, arroz e salada de alface.
Há sumo de laranja e água.
A sobremesa é uma maçã ou um pudim.

O Lanche

O Rui, o Pedro e a Joana lancham no jardim do Rui.
O Rui come um iogurte de banana.
A Joana bebe um sumo e come bolachas.
O Pedro come um iogurte natural e uma maçã.

O Jantar

A família Figueiredo janta em casa.
O João Pedro, a Margarida, a Mónica e o Pedro conversam à mesa.
O jantar é carne assada com batatas fritas e salada de tomate.

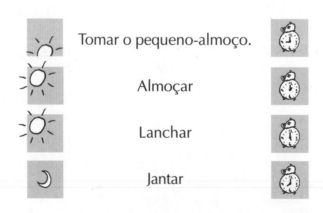

Tomar o pequeno-almoço.

Almoçar

Lanchar

Jantar

Vamos pôr a mesa?

Estende-se a **toalha** sobre a mesa.

Põe-se um **prato** e um **copo** para cada pessoa. O copo fica à frente do prato, do lado direito.

Colocam-se **os talheres**: a **faca** e a **colher** do lado direito e o **garfo** do lado esquerdo.

O **guardanapo** fica do lado direito do prato.

Para a mesa ficar mais bonita, podes colocar **flores** no centro da mesa.

O Zé vai às compras

No sábado à tarde, o Zé vai com a mãe ao supermercado.

Em casa...

Zé — Onde vais, mãe?
Mãe — Vou ao Supermercado.
Zé — Posso ir também?
Mãe — Podes.
Zé — E a lista?
Mãe — Está aqui.
Zé — Tanta coisa!

No supermercado...

Zé — O supermercado é muito grande.
Mãe — É melhor não te afastares.
Fica ao pé de mim.

Zé — Porquê?
Mãe — Para não te perderes.

Zé — É melhor... O supermercado
parece um labirinto. E há tanta
coisa para comprar...
Mãe — Vamos comprar só o que a mãe
escreveu na lista.

Se te perderes no supermercado, procura a polícia ou um segurança!
Não entres em pânico!

Lista de compras

MERCEARIA
- ☐ Açúcar
- ☐ Arroz
- ☐ Azeite e Óleos
- ☐ Batatas Fritas
- ☐ Bolachas
- ☐ Cafés e Chás
- ☐ Chocolates
- ☐ Condimentos
- ☐ Compotas
- ☐ Conservas
- ☐ Especiarias
- ☐ Farinhas
- ☐ Massa
- ☐ Polpa de Tomate
- ☐ Sal
- ☐ Salsichas
- ☐ Sobremesas
- ☐ Sopas e Caldos
- ☐ Vinagre
- ☐
- ☐
- ☐

BEBIDAS
- ☐ Águas
- ☐ Aperitivos/Digestivos
- ☐ Cervejas
- ☐ Refrigerantes
- ☐ Sumos/Concentrados
- ☐ Vinhos
- ☐
- ☐

HIGIENE PESSOAL
- ☐ Algodão
- ☐ Artigos de Barbear
- ☐ Cremes Hidratantes
- ☐ Dentífricos
- ☐ Fraldas
- ☐ Gel de Banho
- ☐ Lenços de Papel
- ☐ Papel Higiénico
- ☐ Pensos Higiénicos
- ☐ Produtos para Farmácia
- ☐ Sabonetes
- ☐ Shampoo
- ☐ Amaciador
- ☐
- ☐
- ☐
- ☐
- ☐
- ☐
- ☐
- ☐

HIGIENE
- ☐ Amaciador
- ☐ Ceras
- ☐ Desinfectantes
- ☐ Desodorizante de Ambiente
- ☐ Detergentes p/Loiça
- ☐ Detergentes p/Roupa
- ☐ Fósforos
- ☐ Insecticidas
- ☐ Lixívia
- ☐ Sabão
- ☐

CHARCUTARIA
- ☐ Enchidos/Presuntos
- ☐ Fiambres
- ☐ Frango Assado
- ☐ Pâtés
- ☐ Queijos
- ☐ Salgados
- ☐

TALHO
- ☐ Borrego
- ☐ Coelho
- ☐ Frango/Peru
- ☐ Novilho
- ☐ Porco
- ☐

PEIXARIA
- ☐ Bacalhau
- ☐ Marisco Fresco
- ☐ Peixe Fresco
- ☐

CONGELADOS
- ☐ Gelados/Sobremesas
- ☐ Legumes
- ☐ Marisco
- ☐ Peixe
- ☐ Pizzas
- ☐ Refeições
- ☐

LACTICÍNIOS
- ☐ Leites
- ☐ Manteigas
- ☐ Margarinas
- ☐ Natas
- ☐ Ovos
- ☐ Queijos
- ☐ Sobremesas
- ☐ Iogurtes
- ☐
- ☐

HORTO-FRUTÍCOLAS
- ☐ Batatas
- ☐ Cebolas/Alhos
- ☐ Frutas
- ☐ Frutos Secos
- ☐ Legumes/Verduras
- ☐
- ☐

PADARIA
- ☐ Bolo de Aniversário
- ☐ Pão
- ☐ Pastelaria
- ☐

TÊXTIL
- ☐ Artigos p/ Cama
- ☐ Artigos p/Cozinha
- ☐ Artigos de Criança
- ☐ Artigos de Bébé
- ☐ Artigos p/Homem
- ☐ Artigos p/Senhora
- ☐ Fatos de Treino
- ☐ Meias/Collants
- ☐ Roupa Interior
- ☐ Sapatos/Ténis
- ☐ Toalhas e Art. W.C.
- ☐
- ☐

BAZAR
- ☐ Acessórios Auto
- ☐ Alimentos p/Animais
- ☐ Artigos de Bricolage
- ☐ Artigos Escolares
- ☐ Cassetes Audio/Vídeo
- ☐ CD's
- ☐ Guardanapos de Papel
- ☐ Jogos/Brinquedos
- ☐ Lâmpadas e Pilhas
- ☐ Livraria
- ☐ Loiças e Vidros
- ☐ Ménage
- ☐ Plantas
- ☐ Plásticos
- ☐ Rolos p/Cozinha
- ☐
- ☐
- ☐
- ☐

Não esquecer: _____

_____

_____

_____

_____

Vamos cozinhar?

1 lata de leite condensado
3 iogurtes simples
1 limão
bolachas Maria

Mistura-se o leite condensado
com os iogurtes e a bolacha
Maria, meia desfeita.
Acrescenta-se o sumo e a raspa
de um limão.
Vai ao frigorífico, antes de ser
servido.

Bom Apetite!

O Zé e a Rita gostam de cozinhar. Eles fazem um pão-de-ló.

No restaurante

É domingo.
A família Figueiredo vai ao restaurante.
A Mónica convida os amigos.

O João lê a ementa...

Pedro — Eu não quero peixe, mãe.
Rita — Porquê?
Pedro — Porque não gosto.
Mónica — Eu gosto muito.
Rita — Eu adoro pastéis de bacalhau.
João — E tu, Zé?
Zé — Para mim, frango assado com salada, por favor.
Empregado — E para beber?
Margarida — Duas águas e quatro sumos, por favor.

No final da refeição, cada um escolhe a sobremesa.

        Pedro — Têm gelados?

Empregado — Não. Só temos salada de fruta, mousse de chocolate e pudim.

          Zé — Eu não quero salada de fruta nem mousse. Prefiro pudim.

    Mónica — Eu não quero pudim nem salada de fruta. Gosto mais de mousse.

       Rita — Eu não gosto de mousse nem de pudim. Antes quero salada de fruta.

VIAGENS E TRANSPORTES

Passeio por Lisboa

Os alunos da professora Beatriz fazem uma visita de estudo a Lisboa...
A camioneta pára junto ao rio Tejo.

Rui — Ó senhora professora, onde é que fica a Torre de Belém?

Professora — Olha Rui, fica mesmo aqui ...

Rui — Tão gira!

Joana — E a ponte, onde fica?

Professora — A ponte fica além...

Rui — Iih! Tantos carros na ponte!

Professora — É verdade, Rui. São muitos! A esta hora há sempre bicha.

Eu	*fico*	
Tu	*ficas*	aqui...
Ele		
Ela	*fica*	
(Você)		
Nós	*ficamos*	ali...
Vós	*ficais*	
Eles		
Elas	*ficam*	além...
(Vocês)		

Viajar de barco

Agora, vão viajar de barco para conhecer o outro lado do Tejo...

> Rui — Já tens o teu bilhete, Joana?
> Joana — Ainda não.
> Pedro — Despacha-te, o barco está quase a partir...
> Professora — Toma o bilhete, Joana. Vamos apanhar o barco.
> Joana — Obrigada, senhora professora.

Eles **entram** para o barco...

Eles **saem** do barco...

Eu	*entro*		o carro
Tu	*entras*		
Ele			o barco.
Ela	*entra*		
(Você)		para	
Nós	*entramos*		
Vós	*entrais*		o comboio.
Eles			
Elas	*entram*		
(Vocês)			a camioneta.

Eu	*saio*		carro
Tu	*sais*		
Ele		do	barco.
Ela	*sai*		
(Você)			
Nós	*saímos*		
Vós	*saís*		comboio.
Eles		da	
Elas	*saem*		
(Vocês)			camioneta.

O regresso

Depois de conhecerem o outro lado do Tejo, regressam de camioneta.
Já na ponte, descobrem como Lisboa é linda.
E tantos monumentos que Lisboa tem!

Um passeio ao parque

No domingo, à tarde, a Rita, o Zé e os pais vão passear ao parque...
O Pantufa também vai.
No caminho passa um eléctrico que faz dlim...dlim... e o Pantufa pensa: Que giro deve ser andar de eléctrico!
Mas, como ele não pode andar nos transportes públicos, vão todos a pé...

Chegam ao Parque ...
O Zé e a Rita jogam à bola.
O pai lê o jornal e a mãe lê uma revista.
De repente...

Não há sinal do Pantufa.
Desapareceu?!
A Rita ouve um barulho e vai ver...

Eu	vejo		assustado.
Tu	vês		
Ele		o Pantufa	assustador.
Ela	vê		
(Você)			escondido.
Nós	vemos		
Vós	vedes		
Eles		o avião	barulhento.
Elas	vêem		
(Vocês)			com medo.

Andar de metro

O Zé vai com o pai ver um jogo de futebol.
Um amigo do Zé, o Manuel, também vai com eles.

Manuel — Como é que vamos para o estádio, senhor Santos?
Sr. Santos — Vamos de metro. Temos de consultar a rede do metropolitano.
Zé — Eu vou pedir um mapa.

Zé — Por favor, pode dar-me um plano do metro?
Empregado — Sim, faça favor.
Zé — Obrigado.

Zé — Onde é que vamos sair, Pai?

Sr. Santos — Vamos sair na estação do Campo Grande.

Manuel — Então a viagem vai ser curta...

Sr. Santos — Pois vai. Mudamos no Marquês de Pombal.

Andar de autocarro

A Lili vai às compras com a mãe.
Elas vão apanhar o autocarro... mas está
muita gente na bicha!

A Lili e a mãe estão à espera.
O autocarro vem atrasado.

Elas entram no autocarro que vem cheio
e têm de ficar de pé!

Vá lá que a viagem é curta!
A Lili e a mãe saem já na terceira paragem.

Viajar de avião

O Pedro e a Mónica estão no aeroporto com os pais.
Vão esperar a avó Rosa e o avô Nicolau que vêm da Madeira, onde foram passar férias...

O Pedro foi o primeiro a beijar os avós.

Na rua...

A Joana, o Pedro e o Rui brincam na rua...

Joana — És maluco? Vai mais devagar.

Rui — Uma bicicleta não é um avião...

Pedro — Mas tem rodas é para andar.

Joana — Cuidado, Pedro! (catrapum!)

Pedro — Ai, o meu joelho!...

Rui — Vês? Vês?...

No táxi...

No passeio...

Mãe do Rui — Para a Rua do Pinheiro
Manso, por favor.
Taxista — Onde fica essa rua?
Rui — Fica no Bairro das Vivendas.
Taxista — Já sei onde é.
Qual é o número da porta?
Mãe do Rui — É o número 14.

Rita — Olha, esta carta não tem selo.
Pantufa — Essa é boa!
Rita — Vamos ao correio?
Pantufa — A pé?!

Na paragem do autocarro...

Zé — Por favor, este autocarro passa no Rossio?
Passageira — Passa, sim.
Zé — Obrigado.

Vagarosa, a tartaruga

Vagarosa, a tartaruga, quer atravessar a rua. O sinal está verde.

Com o seu passo va... ga... ro... so começa a caminhar de... va... gar, muito de... va... gar.

Alto! Cuidado, Vagarosa! O sinal está vermelho...

—Socorro! Socorro! Quem me ajuda? Coitada da Vagarosa!

Um menino simpático vai ajudar a Vagarosa.
E a Vagarosa continua o seu caminho,
de... va... gar... muito de... va... gar.

Então, um senhor sai do carro e...

pega na Vagarosa.
Senhor — Já está!

A Vagarosa fica irritada!
— Ora bolas!!!

Uma viagem de sonho

Hoje há desenhos animados na televisão.
O Pedro é louco por desenhos animados.

À noite, quando vai para a cama ainda pensa
no filme. Então fecha os olhos e...

O Pedro vai partir para o espaço. À partida está toda a gente.

E o Pedro entra no seu foguetão. Rob Rob é o piloto.

O Pedro está feliz.

O foguetão atravessa o céu todo!
E brrum! Chega a um planeta.

Um planeta triste, triste. Tudo é cinzento: o céu,
o chão, as árvores e... os habitantes.

O Pedro sai do foguetão e pergunta a um deles:

O céu e o mar são azuis.

As florestas são verdes.

As flores são cor-de-rosa, vermelhas, brancas...

O Pedro tropeça nas escadas do foguetão e acorda.

TEMPOS LIVRES

Tempos Livres

Ter tempo livre é
poder brincar
fazer desporto
ouvir música
ler ou jogar.
Sem ter que pensar
na lição a estudar
ou nas contas de somar...

Tempos Livres

Uma tarde de domingo

A Lili e a Mónica passam a tarde de domingo a brincar em casa da Rita...

Chega o Zé...

Lili — Que livro tão giro! Anda ver, Mónica.
Mónica — Estou a ouvir música. Já vou.

Rita — Que está a dar na televisão, Zé?
Zé — Está a dar desporto...

Mónica — Tu tocas guitarra, não tocas, Zé?
Lili — Então, toca. Toca lá...
Zé — Está bem. Eu toco.

O Zé toca guitarra.
A Rita, a Mónica e a Lili ouvem...
Até o Poupas e o Pantufa gostam de ouvir!

A Rita, a Mónica e a Lili — Boa, Zé!

Poupas — Crooc, crooc... Boa, Zé! Boa, Zé!

Pantufa — Que rico programa!

Eu	*toco*	tambor.
Tu	*tocas*	piano.
Ele		xilofone.
Ela	*toca*	
(Você)		pífaro.
Nós	*tocamos*	violino.
Vós	*tocais*	guitarra.
Eles		bateria.
Elas	*tocam*	
(Vocês)		flauta.

Eu	*ouço*	música.
Tu	*ouves*	rádio.
Ele		notícias.
Ela	*ouve*	
(Você)		concertos.
Nós	*ouvimos*	
Vós	*ouvis*	canções.
Eles		foguetes.
Elas	*ouvem*	
(Vocês)		bateria.

Na loja do mestre André

O Zé gosta muito de música e foi à loja do mestre André.

O mestre André tem muitos instrumentos de música na sua loja.

Em cima do piano, o mestre André tem um violino.

No chão, encostada a uma perna do piano está a guitarra e, ao lado dela, o tambor.

Pendurado na parede está o acordeão e, por cima dele, estão dois pífaros e uma flauta.

A viola está em cima do banco do piano.

Ao balcão, o mestre André limpa o xilofone.

 Foi na loja do mestre André
Que eu comprei um pifarinho...

No "atelier" de tempos livres

No sábado à tarde, a Rita e o Zé vão para o "atelier" de tempos livres.
Os amigos também vão e cada um faz o que quer.
O Zé faz uma flauta.
A Rita lê um livro.
A Mónica pinta com um pincel e tintas.
O Pedro e o Rui jogam ao dominó.
A Lili recorta com a tesoura.
A Joana faz figuras com plasticina.

O último dia de aulas

É o último dia de aulas.
A Rita, a Lili, a Mónica e o Pedro falam sobre as férias de Verão...

Lili — Que bom, estamos em férias! Quando é que vais para a praia, Rita?

Rita — Vou no fim-de-semana. E tu, Lili, como vais passar as férias?

Lili — Vou fazer campismo. Gosto muito de acampar.

Rita — E vocês, Mónica, onde vão?

Mónica — Nós vamos para o Alentejo. Para casa dos meus avós.

Pedro — Que bom! Vou andar de bicicleta... Adoro!

Mónica — Eu detesto.

Na praia

O Zé e a Rita chegam cedo à praia...

Rita — Queres ir jogar à bola, Zé?

Zé — Oh! Não. Estou com calor... Vou nadar. Queres vir?

Rita — Agora não me apetece. Vou ler o livro que a mãe me deu ontem.

Zé — Depois, podemos ir brincar com a areia...

Rita — Boa ideia! Adoro fazer construções na areia.

Eu	*quero*		nadar.
Tu	*queres*		
Ele			
Ela	*quer*		jogar à bola.
(Você)		*ir*	
Nós	*queremos*		
Vós	*quereis*		brincar com a areia.
Eles			
Elas	*querem*		
(Vocês)			ler.

O Zé chega do banho...

Zé — Que rica banhoca!
Rita — Estás todo arrepiado. A água estava fria?
Zé — Um pouco.
Rita — Põe-te ao sol.
Zé — Não, vou apanhar conchas e búzios à beira-mar. Anda também.
Rita — Vai. Já vou ter contigo.

A Rita sacode a toalha, pega na toalha e no balde e vai ter com o irmão. Depois de apanharem conchas e búzios, eles vão construir um castelo de areia.

Um passeio no campo

No campismo, a Lili encontra a Inês, uma menina da idade dela. A Lili e a Inês ficam amigas.
Elas gostam de dar passeios pelo campo.

Um dia...

As férias do Pedro e da Mónica

Em casa dos avós, o Pedro e a Mónica estão a passar umas férias muito divertidas. Naquela manhã, o carteiro veio entregar um postal.

Pedro, Pedro! Vem ver.
É um postal da Lili.

Parque de Campismo

Olá Mónica!

Como tens passado as férias?
O Pedro está bom? Estou a passar
umas férias óptimas. Isto é muito
divertido. Tenho uma nova amiga,
a Inês. Depois conto-te os nossos
passeios.
Beijos para ti e para o Pedro.

Lili

Para
Mónica Dias Figueiredo
Monte do Sobreiral
Estrada de Arraiolos
7000 Évora

Portugal 49.

Eu	*escrevo*	cartas.
Tu	*escreves*	
Ele		
Ela	*escreve*	postais
(Você)		
Nós	*escrevemos*	
Vós	*escreveis*	telegramas.
Eles		
Elas	*escrevem*	
(Vocês)		bilhetes.

O Pedro e os amigos dão muitos passeios de bicicleta pelo campo, no Alentejo.
Um dia fazem uma corrida...

Mónica — Põe o boné, Pedro.
Pedro — Boa ideia, está muito sol!
Paulo — Tudo pronto? Atenção à partida. Par... tida!

O Pedro cortou a meta!
Chegou em primeiro lugar.
A corrida foi uma festa!

Numa corrida todos querem ganhar
e à frente chegar!
Para brincar vão aclamar
o que primeiro a meta passar.
É bom competir e ganhar
melhor ainda é participar.

— Até para o ano...